LA COLECCIÓN JOVEN DE ARTES DE MÉXICO

Libros del Alba

ADIVINANZAS MEXICANAS

See Tosaasaaniltsin, See Tosaasaaniltsin

ARTES DE MÉXICO-CIESAS-GENERALITAT
DE CATALUNYA-INSTITUT LINGUAPAX, 2005
Primera edición

EDICIÓN: Margarita de Orellana
SUPERVISIÓN EDITORIAL: Gabriela Olmos
DISEÑO: Mariana Zúñiga
PRODUCCIÓN: Lourdes Martínez
CORRECCIÓN: Edith Vera, Michelle Suderman, Margarida Trias

© De la recopilación en Oapan, Guerrero y de la nota: José Antonio Flores Farfán
© De la versión tlaxcalteca: Refugio Nava Nava
© De la versión inglesa: José Antonio Flores Farfán y Wilf Plum
© De la versión catalana: Josep Cru
© De las ilustraciones: Cleofas Ramírez Celestino

D.R. ©Artes de México y del Mundo, S.A. de C.V., 2005
Córdoba 69,
Col. Roma,
06700, México, D.F.
Teléfonos: 5525 5905, 5525 4036

El Instituto Linguapax es una organización no gubernamental con sede en Barcelona. Fue creado en el año 2001 para dar continuidad a una serie de reuniones de expertos, organizadas por la UNESCO. Linguapax tiene como objetivos contribuir a la promoción de la educación plurilingüe, orientar la educación multilingüe en la perspectiva de la cultura de la paz y elaborar instrumentos pedagógicos que faciliten la educación plurilingüe y la valoración de la diversidad lingüística.

ISBN: 970-683-094-4, Artes de México
ISBN: 968-496-548-6, CIESAS
ISBN: 84-95584-25-5, Centre UNESCO de Catalunya

Impreso en México

ADIVINANZAS MEXICANAS

See Tosaasaaniltsin, See Tosaasaaniltsin

RECOPILACIÓN
José Antonio Flores Farfán

VERSIÓN TLAXCALTECA
Refugio Nava Nava

VERSIÓN CATALANA
Josep Cru

VERSIÓN CASTELLANA
José Antonio Flores Farfán

VERSIÓN INGLESA
José Antonio Flores Farfán
Wilf Plum

ILUSTRACIONES
Cleofas Ramírez Celestino

CASTELLANO

¡Adivinada!
En un barranco,
por el cerro al andar,
ropa blanca mojada
te vas a encontrar.

LAS NUBES

OAPAN

See mosaasaaniltsiin:
Tiaas iipan see tepeetl.
Iipan see tlakomoolli,
melaa chachapaantok
miak tlakeenteh.

MOOXTEH

TLAXCALA

Nextik nimotlaalia.
Kwaak nikwalaantika,
kwale nimoistaayalia,
kwaak niyemantika.

IN MIIXTLE

ENGLISH

It may rain for real,
White bundles of wet cloth
Hanging above the hill.

THE CLOUDS

CATALÀ

Endevina, endevinalla:
En un barranc trobaràs
quan pugis a la muntanya
roba blanca i ben mullada.

ELS NÚVOLS

CASTELLANO

Adivina adivinando:
Al sembrar la milpa,
dos bueyes lo van cargando.

EL ARADO

Sⅇe mosaasaaniltsiin,
see mosaasaaniltsiin:
See wakaax kitoowaa
kimaamaatinemi kuhtli.

ARADOOH

TLAXCALA

Niktlapohtinemi in ohtle,
kaampa nemiskeh in piotsitsiih.
Maaski waalkihksti pooktle,
amoo xotla in tlepiotsitsiih.

IN ARADOOH

OAPAN

ENGLISH

I follow the oxen as they strain
To prepare the fields for the grain.

THE PLOW

Endevina, endevinalla:
Sembrant el camp segueixo els bous
obrint la terra vaig fent solcs.

L'ARADA

CATALÀ

CASTELLANO

¿Adivinarás?
Si a lo alto del cerro vas
mucha hierba encontrarás.

EL CABELLO

See tosaasaaniltsiin:
Iipan see tepeetsiintli,
melaa miaak xiihtli.

TLTNOOSL

TLAXCALA

Keeme ikpaatl, keeme sakaatl.
Waan amoo tikpuchina iika malakaatl.

IN TSOONTLE

OAPAN

ENGLISH

Think, and you may guess at last.
On the top of your hill,
lots and lots of grass!

THE HAIR

Pensa amb el cap:
Molta herba trobaràs
quan al cim arribaràs.

ELS CABELLS

CATALÀ

Adivina adivinando:
¿Qué será que va saliendo?
¡Ve tu hoja agarrando!

EL EXCREMENTO

See tosaasaaniltsiin:
Yee waalkisa.
Xkiitski moxiiwhiotsiin!

KWITLAATL

Timotlalia, tikkahkaawa,
timihkatilia waan tikilkaawa.

IN KWITLAATL

Maybe it will need a push!
Grab your leaf,
and hide behind a bush!

EXCREMENT

Endevina, endevinalla:
Si fas força sortirà
tingues una fulla a mà!

L'EXCREMENT

Por más que quieras y trates,
nunca la podrás tocar,
aunque siempre en la luz
te va a acompañar.

LA SOMBRA

Maaske maas
tikaanasneki,
xweel tikaanas.

TLASEEWAAHLO

See tlaakatl miixpa tsikwiintinemi.
Tlaa timokweepa mitsikaahwia.
Maaski tsikwiini, maaski patlaani,
iikan toonaltsii nion mitoonia.

IN TLASEEKAWIL

You can't catch it, try as you might...
But it follows you wherever
there's light!

THE SHADOW

Per més que vulguis
mai l'agafaràs
tot i que amb llum
sempre la veuràs.

L'OMBRA

Adivina adivinando:
Se pasa la vida
comiendo y zurrando.

(TROJE) CUEZCOMATE

See mosaasaaniltsiin,
see mosaasaaniltsiin:
Saan tlakwaatika waan
nonoxixtika.

KWESKOMAATL

Miek tlakwaal iihtek kipia.
Waan ayek moteequitilia.

IN KWESKOMAATL

It only eats
and excretes.

GRAIN BARN

Endevina, endevinalla:
Es passa la vida
menjant i cagant.

EL GRANER

CASTELLANO

C inco hermanos,
muchos nombres,
todos de la mano.

LOS DEDOS DE LA MANO

TLAXCALA

S ee saasaaniltsiin:
Timakwilte iikniihte,
seeseehneka toapellido.

MAPILTEH

OAPAN

M akwiil kookoneh:
moyeektlalia,
aweel moxeeloaah
tlaa mokomooniaah...

NOMAHPILWA

ENGLISH

A riddle game!
We are five brothers.
But each name
   Is different from the others.

THE FINGERS

S om cinc germans
agafats de les mans
amb noms diferents
això com s'entén?

ELS DITS DE LA MÀ

CATALÀ

¿Adivinarás?
Mujer fatal,
si por el río vas
su canto escucharás.

LA SIRENA

See tosaasaaniltsiin,
see tosaasaaniltsiin:
Kwaak see
tlatlaamani aapanipan
paxiaalotika kikatika
nokwikatika.

LA SIRENA

Endevina, endevinalla:
D'una dona sense peus
el cant sentiràs
si navegant vas.

LA SIRENA

Down the river,
She's singing her song,
While the fisherman
Floats along.

THE MERMAID

Esta adivinanza no se incluye en la versión de
Tlaxcala porque en su geografía no hay mar.

¿Adivinarás?
¿Qué es una casa blanca,
sin puertas ni ventanas?

EL HUEVO

See tosaasaaniltsiin, see
tosaasaaniltsiin:
See kalli melaa istaak,
xkipia puerta nin ventana.

TOOTOOLTEETL

Amoo tikwiitis tleen nimitsilis:
maaski tiktehtewis nin kale,
amaka mitstlapolwilis.

IN TOTOOLTETL

It's all yours:
What is a white house
Without windows or doors?

THE EGG

Endevina, endevinalla:
Una casa blanca és
sense portes ni finestres
saps de què parlem?

L'OU

CASTELLANO

Adivina adivinando:
Por más que de agua se llenó,
no hace pipí ni popó.

GRAN OLLA PARA EL AGUA

TLAXCALA

Oksee tosaasaaniltsii:
Saan aatlika,
xnaaxiixa waan xnoxiixa.

AAKOONTLI

OAPAN

Saan aatemi, saan aatemi.
Amoo tlacuaa.
Waan amoo
iihtekwakwalaka.

IN AAKOOMITL

ENGLISH

Though it may drink till it's full,
It never takes a pee, as a rule.

*NATIVE POT TO STORE
DRINKING WATER*

Endevina, endevinalla:
Plena d'aigua
la pots tenir
però mai farà pipí.

OLLA GRAN PER A L'AIGUA

CATALÀ

CASTELLANO

¡Hay que adivinar!
Muy temprano mi colita,
juega y limpia sin igual.

LA ESCOBA

OAPAN

See mosaasaaaniltsin:
see kwaalkaan,
nokwitlaapil nawiltia.

TLACHPANWAASTLI

TLAXCALA

Moomoostlatika, moomoostlatika,
see sowaatsiintle neechihtootia:
amoo tsikwiini nion monaktia.
Saan yoyooliktsi neechooliniaa.

IN POPOOTL

ENGLISH

When it's time to clean early
in the day,
That's when it's time for my tail
to play.

A BROOM

CATALÀ

Endevina, endevinalla:
Una cua per la brossa
que neteja el meu jardí
tot jugant de bon matí.

L'ESCOMBRA

CASTELLANO

¡Trinen chilladores!
En un barranco
muchos niños bailadores.

EL TROMPO

See saasaanilli:
Iipan see tlakomoolli,
melaa kimiitootiaan
miak kookoneh.

TROMPOOH

TLAXCALA

Saan noseel nimihtootiaa,
waan ayak neechmotoktia.

IN TROMPOOH

OAPAN

ENGLISH

Here's one: take a whirl!
On the ground,
children sing and twirl!

A SPINNING TOP

Gira i trina la joguina
els infants la fan ballar
si la corda fan anar.

LA BALDUFA

CATALÀ

¿Será que lo podrás decir?
Soy un rollo,
de noche desenrollo
para que puedas dormir.

(LA CAMA O EL PETATE (ESTERA)

See saasaaniltsiin, see
saasaaniltsiin.
See totlaakatsiin,
nochipa nomeelawtika
waan wipantika.

PETAATL NOSO TLAPEEXTLI

Neh nimoteeka,
tlaa tikochmikitika
aweel nikochi,
nimitsmeemeehtika.

IN PETAATL

Unroll me and have some rest!
For you to dream,
I'm the best!

A SLEEPING MAT OR BED

Endevina, endevinalla:
A la nit quan vols dormir
és quan més el fas servir.

EL LLIT

NOTA

Este libro, fruto de la colaboración de algunos hablantes de mexicano (nombre con el que también se denomina a la lengua náhuatl en diversas comunidades), da cuenta de la vitalidad que sigue teniendo en la región del río Balsas la antigua tradición de jugar a las adivinanzas.

Actualmente esta lengua cuenta con el mayor número de hablantes —más de un millón y quizá hasta dos— entre las distintas lenguas originarias de México. Se habla en diversos estados de la República mexicana, entre otros, Durango, Jalisco, Michoacán, Hidalgo, Veracruz (en las huastecas, por ejemplo, existe por lo menos un cuarto de millón de hablantes), en Morelos, Guerrero, Oaxaca y la ciudad de México (en la delegación Milpa Alta). Incluso, debido a la migración, se habla náhuatl en Sonora, y en Estados Unidos y Canadá.

En esta lengua existen variantes distintivas que pueden estar relacionadas con el aislamiento al que se han visto sometidas la mayoría de las comunidades. Por circunstancias como ésta se han desarrollado diferentes variedades de mexicano, como las que se muestran en este libro.

Las adivinanzas que presentamos en esta edición fueron recopiladas en Oapan, Guerrero, probablemente una de las comunidades mexicaneras cuya lengua y cultura poseen una mayor vitalidad.

Diversas investigaciones nos indican que, en Tlaxcala, la lengua se encuentra en peligro de desaparecer. Este libro se concibe como una modesta contribución para evitar que eso suceda. Uno de los indicadores que nos hablan del riesgo en el que se encuentra la lengua en esta región es la pérdida de lo que se conoce como cantidad vocálica, pues en el mexicano las vocales suenan con una mayor duración que a la que estamos acostumbrados los hispanos o los angloparlantes, y sus variaciones producen cambios de significado.

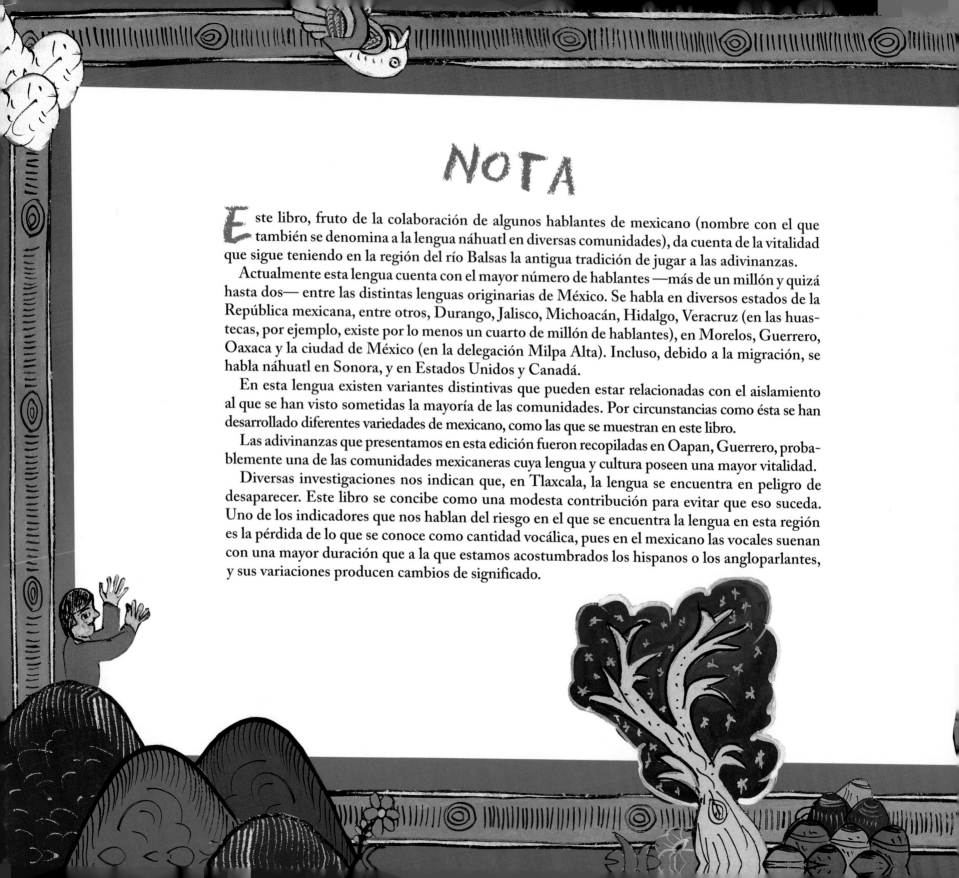

En Oapan, por ejemplo, tenemos palabras como *kipaatla*, que significa "lo bate" (que podría ser el chocolate) y *kipatla* que quiere decir "lo cambia" (por ejemplo, jitomates por chiles en el mercado, haciendo trueque).

Hemos reconstruido la cantidad vocálica en el caso de la variante tlaxcalteca, una de las que se encuentran más amenazadas, con base en inferencias indirectas, como el náhuatl clásico (el que hablaban los mexicas), y la evidencia moderna, como la de la variante hablada en Oapan, cuya vitalidad lingüística es perceptible por la gran cantidad de vocales largas usadas.

El reconstruir la cantidad vocálica no se debe a una manía de lingüista, sino que significa un gesto de respeto a una de las características más distintivas del mexicano. Además, simboliza una mayor duración que esperamos pueda mantener la lengua, aunada a la intención de representar por escrito lo que en la práctica remite a un habla más pausada. La escritura que utilizamos para representar un hábito oral se hace sobre todo en términos de la fonética, es decir, escribimos más como suena la lengua y no con base en el español.

Las adivinanzas de este libro también se presentan en lengua catalana, que pertenece a la familia lingüística de las lenguas románicas, y que se extiende por un territorio de aproximadamente 68,000 kilómetros, en los que viven alrededor de 11 millones de personas. Actualmente, la región en la que se habla catalán está dividida en siete territorios distribuidos en cuatro estados: Andorra, la ciudad de Alguer en la isla de Cerdeña (Italia), Cataluña, las Islas Baleares, la Comunidad Valenciana, la zona oriental de Aragón (España) y la Cataluña del Norte (Francia).

Las ilustraciones de este libro fueron elaboradas en amate, un papel fabricado con la corteza del árbol del mismo nombre, por los *hñohño* u otomíes, de la Sierra Norte de Puebla.

Los habitantes de la región del río Balsas los compran para pintarlos y venderlos, como buenos comerciantes y *tlacuilos* (pintores) que son.

ADIVINANZAS MEXICANAS. See Tosaasaaniltsin, See Tosaasaaniltsin, se terminó de imprimir en febrero de 2005 en los talleres de Transcontinental Reproducciones Fotomecánicas, S.A. de C.V. Se imprimieron 5,000 ejemplares.